411.99

Conception et réalisation :
Françoise Detay-Lanzmann

Dépôt légal : octobre 1994
ISSN : 1242-532X
Loi n° 49-956 du 16 juillet 1949
sur les publications destinées à la jeunesse

Françoise Detay-Lanzmann

UNE ANNÉE

Illustrations de Cécilia Goddard
Gaëtan Du Chatenet

MANGO

JANVIER

Beaucoup d'oiseaux sauvages se rapprochent des maisons. Les moineaux, les pigeons, les merles et les étourneaux espèrent trouver dans les jardins, sur les balcons ou sur les trottoirs la nourriture dont ils ont besoin.

C'est l'hiver. Il fait froid et il faut s'habiller
chaudement. La nature paraît endormie,
pourtant toutes sortes d'animaux survivent
dans les villes en hiver. Ils peuvent trouver
de la nourriture près des maisons.

Les rats gris vivent en bandes dans les caves et les égouts. Ce sont de très bons nageurs.
Ils mangent de tout et rongent même les fils électriques. Les souris, bien au chaud dans
un recoin de la maison, grignotent graines, miettes et bois.

FÉVRIER

Ce petit canard, appelé sarcelle d'hiver, supporte très bien le froid. Il fait son nid près de l'eau. On le reconnaît à son plumage très coloré.

L'escargot, enfermé dans sa coquille, se cache dans le creux d'un mur. La grenouille verte s'est enfouie dans la *vase*, où elle dort.

Février est un des mois les plus froids de l'année. Les jours sont très courts, et les nuits souvent glaciales. Au bord de la rivière, quelques oiseaux survivent malgré la rigueur de l'hiver.

Quand elle a faim, la loutre cherche un trou dans la glace et se glisse dans l'eau pour attraper quelques poissons.

La plupart des insectes restent au chaud. Les abeilles ne quittent plus leur *ruche*. La coccinelle s'installe dans un grenier où elle attend des jours meilleurs.

5

MARS

L'herbe recommence à pousser, et
les bourgeons des arbres se gonflent.
Des jeunes feuilles, des fleurs et
des rameaux vont bientôt apparaître.

Mars est le mois des naissances
pour certains *mammifères*.
La brebis met au monde un petit
agneau qu'elle lèche aussitôt.

Le 21 mars est le premier jour du printemps.
Le temps se radoucit même si le vent,
qui souffle souvent fort, courbe
les branches. Les premiers boutons-d'or
pointent, les pissenlits et les jonquilles
fleurissent dans les prairies.

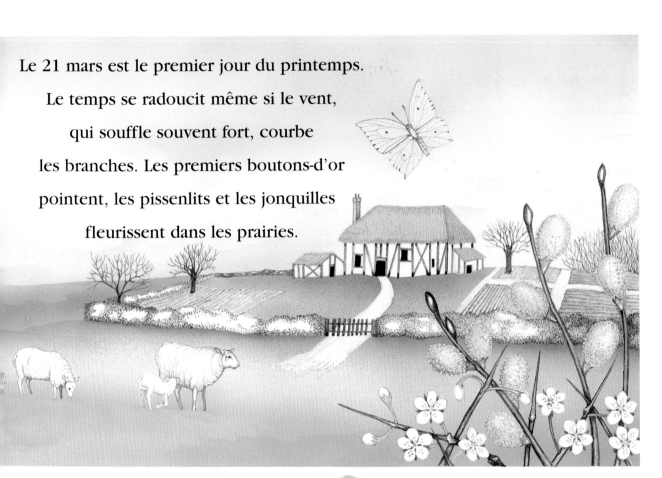

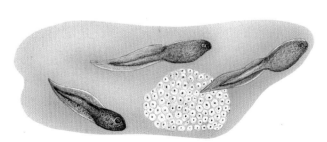

Dans les étangs, la grenouille pond
des œufs dont vont sortir de
minuscules têtards. Au bout d'un mois,
le têtard sera devenu une grenouille.

Le triton, qui a passé l'hiver sur la terre
ferme pour pouvoir se nourrir, regagne
l'eau au mois de mars. Dans peu de
temps, il pondra des œufs.

AVRIL

Dans les jardins, les rhododendrons
et les azalées ont de magnifiques
fleurs violettes, orange ou roses.

Dans les arbres, la mésange
construit son nid.
Bientôt, elle couvera ses œufs.

8

Le temps est de plus en plus doux, mais certains jours, de gros nuages amènent une pluie soudaine. La nature se réveille. Les cerisiers et les pommiers se couvrent de petites fleurs roses et blanches qui deviendront des fruits.

Le campagnol et la musaraigne préparent leur nid dans des *galeries* creusées sous la terre pour donner naissance à leurs petits.

Il a fallu deux semaines au papillon *Aurore* pour se développer dans sa *chrysalide*. Lorsqu'il est prêt à naître, l'enveloppe se déchire; il sort alors la tête et les pattes en premier.

9

MAI

Le muguet fleurit dans les bois. Il sent très bon et porte des petites fleurs blanches en forme de clochettes le long d'une grande tige.

Le cincle est un oiseau qui sait nager et plonger. Il passe plusieurs heures au fond de l'eau à la recherche de nourriture.

Les journées rallongent et le soleil
se fait plus doux. Les arbres ont leur beau
feuillage vert clair de printemps.
Dans les forêts, les biches donnent le jour
à leurs petits. Le jeune faon reste
avec sa mère qui l'allaite.

Certaines araignées vivent sous l'eau.
Elles remplissent leur toile de bulles
d'air pour pouvoir respirer.

Posée sur un jonc, la libellule guette
les mouches et autres petits insectes
pour les dévorer. Elle vole très vite.

JUIN

Le long des murs, les plantes grimpantes comme le chèvrefeuille ou certains rosiers étalent leurs branches pleines de fleurs parfumées.

Les cerises mûrissent mais si l'on n'y prend garde, elles seront vites dévorées par des oiseaux, comme le geai, qui s'en régalent !

Il fait de plus en plus beau et chaud. Dans le jardin, les rosiers sont en fleur. C'est le dernier mois pour planter les fleurs. Il faut aussi s'occuper du *potager* : préparer la terre pour semer des graines ou planter des légumes.

Juin est le mois des baies. Les fraises mûrissent en premier, puis les groseilles, les cassis et les framboises. Les framboises sauvages et les fraises des bois, qui poussent sur les pentes des montagnes, seront mûres un peu plus tard.

JUILLET

Dans les champs de blé, le matin,
on entend l'alouette. Elle plane
au-dessus des moissons en chantant.

Le lézard se chauffe au soleil. Il guette
un insecte. Dès qu'une mouche s'approche,
il lance sa petite langue et l'attrape.

14

C'est l'été. Il fait très chaud maintenant et sec,

même si quelques orages violents éclatent certains jours.

À la campagne, c'est l'époque des moissons.

Les moissonneuses-batteuses vont récolter les *céréales* nuit et jour.

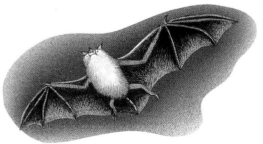

Les jeunes chauves-souris viennent de naître.
Elles se nourrissent du lait de leur mère.
Ce sont des *mammifères*, comme les chatons.

La jolie petite souris des moissons construit
son nid dans les blés. Fabriqué avec des tiges
de blé, il a la forme d'une boule toute ronde.

AOÛT

Les jours raccourcissent, mais il fait encore très chaud. C'est le mois des vacances. Beaucoup de gens partent à la mer. Ils vont se baigner dans l'eau des petites criques de la Méditerranée ou dans les vagues des grandes plages de sable.

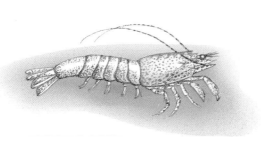

Le crabe marche de côté.
Ses pinces, aux muscles puissants,
sont des armes redoutables.

Dans les mares près des rochers,
la crevette grise n'est pas très visible
car elle est transparente. Mais elle est
facile à pêcher avec un filet spécial.

L'huîtrier pie se sert de son bec pour ouvrir les moules et les coques. Le courlis a
un long bec pour fouiller dans le sable. La mouette rieuse patauge dans le sable mouillé,
où elle trouve de petits animaux. L'avocette ratisse la surface de la *vase*.

SEPTEMBRE

Les guêpes se nourrissent de mouches, de pucerons et de fruits bien mûrs à la fin de l'été.

Les fleurs de l'automne, les dernières de l'année, fleurissent encore le jardin. Ce sont les dahlias, les asters et les chrysanthèmes.

Le temps est encore assez doux. C'est le mois des vendanges.

Dans les vignes, tout le monde s'affaire pour cueillir les grappes

des raisins blancs et noirs dont on fera du vin ou du jus.

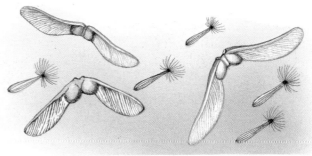

C'est le moment de cueillir
à l'arbre les pommes et les poires,
et de se régaler de raisin.

Les graines sont emportées par le vent.
Le printemps prochain, elles donneront
naissance à de nouvelles plantes.

OCTOBRE

C'est l'automne. Le temps devient gris,
les jours diminuent et la température baisse.
Les forêts sont magnifiques,
car les arbres prennent de belles couleurs :
jaune, orange et rouge.

Les hirondelles, les cigognes, les oies et les canards sauvages s'apprêtent à s'envoler vers des régions où ils trouveront chaleur et nourriture.

L'écureuil se régale de noisettes et de glands, et commence à en faire des provisions pour l'hiver qui approche.

C'est le moment d'aller dans la forêt ramasser les champignons. Ils poussent souvent sur des troncs d'arbre, sur des tapis de feuilles mortes ou sur la mousse. Le bolet, la girolle et le cèpe sont délicieux.

NOVEMBRE

Beaucoup d'arbres ont perdu leurs feuilles, mais le sapin et le pin resteront toujours verts.

Dans le Midi, c'est le moment où le kaki est mûr. Les fruits rouge orangé mûrissent lorsque l'arbre a perdu toutes ses feuilles.

Le brouillard est de plus en plus fréquent. Le vent souffle
et la pluie tombe en abondance. Dans les parcs,
les arbres sont dénudés et les feuilles mortes *jonchent* le sol.

Beaucoup de petits insectes se réfugient sous les mousses et les feuilles sèches. La plupart des animaux domestiques restent à l'étable.

Dans l'eau froide des rivières, la carpe, la tanche et le brochet se tiennent au fond de l'eau pour avoir plus chaud.

DÉCEMBRE

Le loir s'est bien nourri en prévision de l'hiver. Il s'installe dans un trou d'arbre ou de mur, se roule en boule et attend le printemps.

Le hérisson se blottit sous un tas de bois. Gavé de larves et de vers de terre, il va dormir pendant la longue saison froide.

Décembre marque le début de l'hiver. La première
neige est tombée sur la forêt silencieuse. Pendant
les grands froids, la biche, le lièvre, le campagnol
se nourriront d'écorce d'arbre. L'ours dormira bien
au chaud au fond de sa grotte.

De temps à autre, l'écureuil quitte
la chaleur de son nid pour aller
à la recherche de ses provisions
de glands et de noisettes.

Le gui qui pousse sur les branches
de certains arbres, comme le peuplier,
et le houx aux fruits rouges sont
les plantes de Noël.

LEXIQUE

Céréales

Plantes cultivées pour leurs grains comme le blé, l'avoine, l'orge, le maïs ou le riz.

Chrysalide

Juste avant de se transformer en papillon, la chenille et son enveloppe forment la chrysalide.

Galerie

Long couloir creusé sous la terre par les hommes ou par certains animaux comme la taupe.

Joncher

Lorsque des feuilles mortes ou des branches recouvrent la terre, on dit qu'elles jonchent le sol.

Mammifère

Animal qui nourrit ses petits avec le lait de ses mamelles. La baleine, le chien, la chauve-souris sont des mammifères.

Potager

Jardin dans lequel on cultive les légumes et certains fruits.

Ruche

Abri aménagé dans lequel les abeilles vivent et produisent le miel.

Vase

Boue que l'on trouve au fond des mares ou des étangs.